Crimen

Gustavo Ro

ALFAGUARA

De esta edición

1996, Aguilar, Altea, Taurus, Alfaguara S. A.
Av. Leandro N. Alem 720 (C1001AAP)
Ciudad de Buenos Aires, Argentina

ISBN: 978-987-04-0226-8
Hecho el depósito que marca la Ley 11.723
Impreso en Argentina. *Printed in Argentina*

Primera edición: junio de 1996
Octava reimpresión: agosto de 2004
Segunda edición: octubre de 2005
Novena reimpresión: abril de 2011

Diseño de la colección: MANUEL ESTRADA

Una editorial del Grupo **Santillana** que edita en:
España • Argentina • Bolivia • Brasil • Colombia
Costa Rica • Chile • Ecuador • El Salvador • EE.UU.
Guatemala • Honduras • México • Panamá • Paraguay
Perú • Portugal • Puerto Rico • República Dominicana
Uruguay • Venezuela

Roldán, Gustavo
Crimen en el arca. - 2a ed. 9a reimp. - Buenos Aires : Aguilar, Altea, Taurus, Alfaguara, 2011.
96 p. : il , 12x20 cm. - (Naranja)

ISBN 978-987-04-0226-8

1. Narrativa Infantil Argentina. I. Título
CDD A863.928 2

Crimen en el arca

ÍNDICE

Capítulo 1

La orden llegó de arriba, que es de donde siempre llegan las órdenes. Noé recibió las instrucciones detalladas de lo que tenía que hacer, y sobre el pucho puso manos a la obra. Pero el pobre no sabía lo que le esperaba.

La historia empezó con lluvia.

Eso fue apenas Noé terminó de preparar el arca. Pero además de empezar la lluvia, ahí fue donde comenzaron los problemas.

Al pobre Noé y su familia casi no les daba el cuero para organizar la entrada de los animales; unos porque querían entrar en

montón, otros porque no querían saber nada de meterse en ese armatoste por culpa de un cuento en el que no terminaban de creer.

—Yo no entro ni loco —decía el hipopótamo—, miren si me voy a asustar por un poco de lluvia, si lo que más me gusta es estar en el agua.

—Yo sí quiero entrar, yo sí quiero entrar —decía el rinoceronte—, pero quiero entrar con mi mamá, mi papá, y mi rinoceronta y mis hermanos y mis primos y mis amigos y no los voy a dejar a mis abuelitos en medio de esta lluvia.

Noé pensaba que el rinoceronte tenía

bastante razón, pero si le hacía caso iba a tener que dejar afuera a un montón de otros animales. No. No había forma. Además, si comenzaba haciendo una excepción, después quién los paraba.

Cerró los ojos para no ver la injusticia, porque nunca le gustaron las injusticias, y para eso nada mejor que cerrar los ojos, y dijo:

—No perdamos tiempo. Le toca sólo al que le toca y sanseacabó.

Lo dijo poniendo cara de malo, para que a ningún otro se le ocurriera volver con la misma historia.

Como para venir en ayuda de Noé la lluvia comenzó a tomar fuerza, en medio de truenos y relámpagos que nunca se conocieron antes.

—¡La flauta! —dijo la jirafa—. ¡Mejor no perdamos tiempo!

Por entre las patas de la jirafa se metió el yacaré. Mejor dicho catorce yacarés, siete machos y siete hembras.

—¿A qué hora vamos a comer? —dijo uno mirando para todos lados, y los otros trece repitieron:

—¿A qué hora vamos a comer? Nosotros no nos vamos a asustar por cuatro gotas locas, pero nos dijeron que aquí había mucha comida.

—Eso sí —dijo otro yacaré—, a mí no me manden al piso de arriba. Por lo que veo esta casa tiene tres pisos, pero yo me quedo en la planta baja.

Noé los miraba y se rascaba la cabeza, pensando si no se habría equivocado al poner tantos yacarés.

Le habían ordenado llevar siete parejas de los animales puros y una pareja de los impuros. Pero no le dijeron claramente cuáles eran unos y cuáles los otros, y no le quedó más remedio que hacerlo según su parecer. Y a las apuradas. Y encima él nunca había entendido mucho de animales.

La verdad es que siempre quedaron dudas sobre el buen criterio de Noé para elegirlos. Pero ésa es otra historia.

Lo concreto es que los yacarés se quedaron ahí nomás, porque no les gustaba ningún lugar alto. Y porque se les había ocurrido que la comida podría estar más a mano.

—Nosotros vamos arriba o abajo, sin hacer tanto lío -dijeron los lobos—. ¿Dónde está el lugar para las peleas? Queremos estar ahí cerca.

—¿Qué peleas? —dijo Noé—. ¡Aquí no pelea nadie!

—¿Qué? ¿No hay peleas? ¿Y entonces cómo nos vamos a divertir?

—No sé —dijo Noé que no había pensado en eso-. Ya veremos, pero peleas no.

—¡Uff! —protestó una loba—. Esto se pone aburrido desde el primer día.

Y entró al arca. Medio sin ganas, pero el elefante venía empujando, y cuando empuja el elefante más vale no hacerse el tonto.

Atrás de los elefantes, que iban ordenaditos uno tras otro, agarrados con la trompa a la cola del que iba adelante, llegaron los sapos a los gritos.

—¡Abran cancha que los piso! ¡Abran cancha que los piso! —gritaba el primer sapo avisándole al último elefante.

Noé comenzó a ponerse más y más nervioso. Esta historia de hacer entrar a esa cantidad de animales no venía nada fácil. Y la lluvia todavía no era un problema grave pero ya se iban formando lagunas por todos lados.

Entonces miró a lo lejos, y ahí se pegó un susto de la gran perinola. La cola de bichos se perdía a lo lejos y cada vez era más larga. ¿Habría lugar para todos?

—¡Aquí hay acomodo! ¡Aquí hay acomodo! —se oyó un grito que venía desde el suelo—. ¡Siempre pasa lo mismo con los grandotes! ¿Y nosotros para cuándo? ¿Para cuando ya no haya más lugar?

Noé barrió el piso de una mirada pero no pudo ver de dónde venían los grito

—¡Aquí! ¡Aquí! ¡Siempre los mismos privilegiados! ¡Y usted, don Noé, que no pone un poco de orden!

Noé se puso de rodillas para ver mejor. Bajó la nariz hasta tocar el suelo, y entonces los vio. Era una patota de piojos y pulgas y bichos colorados que pataleaban y manoteaban para hacerse ver.

—¡Sí, sí! ¡Aquí estamos! ¿Usted se cree que somos nadie? ¿Por qué deja entrar primero al elefante y al rinoceronte y al sapo? ¿Porque son bichos grandes? ¿Usted cree que los grandes son más importantes?

Ahí la mano le gustó al sapo, oyendo que lo nombraban junto al elefante. Y sobre el pucho se puso del lado de los piojos y dijo:

—Tienen toda la razón, don Noé. ¿Por qué subimos primero los grandotes? ¿No será que usted nos tiene miedo?

—¡Claro que sí! —gritó un bicho colorado—. Les tiene miedo, pero que se cuide de hacernos enojar. ¡No hay nada más peligroso que un bicho colorado cuando se enoja!

—¡Que se cuide! —gritó un piojo—. Y muchas gracias don sapo. Usted sí que tiene idea de la justicia. Porque esos otros... son grandes, sí, pero medio pavotes. ¡Quisiera verlos si hace-mos una pelea!

—¡Basta de peleas! —gritó Noé, que se iba poniendo cada vez más nervioso—. Y a ver si dejan pasar a los demás.

—¡Dejó de llover! ¡Dejó de llover! —gritaron todos los animales juntos—. ¡Miren qué nube más grande!

Pero no era una nube y no había dejado de llover. Era una incontable cantidad de alas que hicieron un gran paraguas por un rato.

Entonces fue que llegaron los pájaros.

Con los pájaros no hubo problemas. Bueno, que no hubo problemas es una forma de decir. Llegaron volando y se metieron en la parte más alta del arca. Ya se sabe que a los pájaros les gusta estar en la parte más alta. Se acomodaron rápidamente, se sacudieron las gotas de agua y esponjaron las plumas.

Y comenzaron a cantar.

Claro que apenas entraron desapareció el gran paraguas que habían formado un rato antes y la lluvia comenzó de nuevo más fuerte que nunca.

—¡Fueron los pájaros! -gritó un lobo-. ¡Ellos trajeron la lluvia! ¡Vamos a pelear con los pájaros!

De entre el montón de plumas de todas las formas y tamaños salió un silbido lleno de colores. Era el picaflor. Voló y se detuvo en el aire, como flotando, arriba de la cabeza del lobo. El lobo gruñó y mostró los dientes, y en

ese instante, justo en la punta de la nariz del lobo, el picaflor le largó un recuerdo que quedó pegado, ahí, justo en la punta de la nariz del lobo.

—¡Pájaro puerco! —gritó el lobo limpiándose con la pata—. ¡Ahora mismo te como!

Pero se quedó tirando mordiscones al aire porque ya no había nadie a quién morder.

Desde entonces los lobos son enemigos de los picaflores. Ya se sabe que a los lobos siempre les gustó levantar la cabeza y aullar, y ahora, cuando miran para arriba y aúllan a la Luna, en realidad no aúllan a la Luna. Levantan la cabeza de noche porque de día tienen miedo que pase algún picaflor y les deje otra vez un recuerdo pegado en la nariz.

Capítulo 2

De cómo la duda del que manda puede volverse en contra de los que opinan diferente. Y donde se trata la diferencia entre una chicharra y un rinoceronte.

Noé, mientras tanto, seguía haciendo pasar a los animales. Una pareja de los animales impuros, siete parejas de los animales puros. Una de los impuros, siete de los puros. Y ahí le volvían las dudas. ¿Puro pelos? ¿Puras patas? ¿Puros qué? Y claro, en el lío del amontonamiento y de la urgencia, se producían algunas equivocaciones. Y nadie parecía quedar conforme.

—¿Se da cuenta de la injusticia? —decía el tiborante—. ¿Usted cree que es lo mismo un tiborante que un rinoceronte? ¿No ve el espacio que ocupa cada uno de esos monstruos?

—Eso digo yo —gritó la chicharra—. Esto no es justo. Habría que calcular por metro cúbico. A cada especie la misma cantidad de metros cúbicos. Todas las chicharras apenas ocupamos la puntita de un cuerno de rinoceronte. ¿Quién hizo esta ley tan despareja?

—¡Catorce rinocerontes! —cantó otra

chicharra—. Yo no tengo nada contra los rinocerontes, ¿pero quién dijo que eran animales puros? ¿Usted vio lo que hace un rinoceronte cuando va al baño? ¿Vio el tamaño de lo que dejan? ¿Usted cree que un animal que deja semejante porquería puede ser un animal puro?

—Y hacen sus cosas tres o cuatro veces por día —dijo otra chicharra—. Multiplique por catorce rinocerontes, multiplique por los días que vamos a estar encerrados juntos.

Saque el cálculo de los kilos de bosta. O nos tapan a todos o se hunde el arca.

—¡Y no se olvide de los hipopótamos! ¡Son peores! -gritó otra chicharra.

—¡Y de los elefantes! —dijo otra—. No sé si no será mejor morir ahogadas en el agua. Por lo menos será una muerte digna. Y si el mundo nos olvida, que nos olvide. Pero peor es que el mundo nos recuerde desaparecidas bajo la bosta.

—¡De un elefante!

—¡O de un rinoceronte!

—¡O de un hipopótamo!

Y las chicharras se pusieron amontonadas en un rinconcito, sin saber qué decidir. Noé, usando la poca habilidad que tenía, fue y las convenció de que nada malo iba a pasarles. Se lo juró por sus hijos y los hijos de sus hijos. Y les asignó un lugar junto a los pájaros, allá en la parte de arriba, donde estarían a salvo de cualquier hipopótamo.

* * *

Tardó mucho el viejo Noé en hacer entrar al todos los animales. Las discusiones casi lo volvieron loco, porque lidiar con un jaguar y al mismo tiempo con un ciervo que no quería saber nada de estar cerca del jaguar, no es cosa fácil.

Al final entraron los que tenían que entrar.

Para decir la verdad, estaban medio amontonados y las comodidades del arca no eran las mejores, pero ya la lluvia había comenzado a tapar toda la tierra y eso evitó más de una discusión.

Los que dudaban —que eran muchos— de que se venía un diluvio de padre y señor mío, dejaron de protestar cuando vieron que la tierra se había convertido en un inmenso mar de donde apenas asomaban las copas de los árboles más altos.

Los días comenzaron a pasar y siguieron pasando y no terminaban nunca de pasar. Y el agua seguía subiendo.

Y la lluvia que no paraba.

—Tenía razón el viejo Noé —dijo un zorro mirando de reojos a una gallina verde—. La verdad, yo no pensaba entrar, pero cuando vi esas gallinas tan gorditas me dije: "¡Qué pierdo con hacer un paseo por barco!".

—No te hagás el zorro, zorro —dijo el gallo, que no descuidaba sus dominios—. Al primero que se le vaya la mano don Noé lo tira al fondo del mar.

—¡Pero don gallo, cómo se imagina usted! —dijo el zorro.

—Yo digo nomás, y por lo que se ve, comida no nos va a faltar, así que nada de andar mirando a las gallinas. Para comer están esos hermosos granos de maíz que nos pone todos los días. ¿Se puede pensar en algo más rico?

El zorro no dijo nada. Ya había aprendido que con estos animales tontos que se la pasaban picoteando en el suelo era difícil entenderse. Pero él sí podía pensar en algo más rico. Comida no les había faltado, eso es cierto, pero Noé les daba una pasta con olor a yacaré en celo que si no fuera porque el hambre es tirana, y porque a esta altura no había forma de mandarse a mudar, nunca hubiese probado ni un bocadito de esa porquería.

El zorro pasó bajo las patas de la jirafa, del tapir, del oso blanco, y se fue hasta donde estaban los lobos. Estaba claro que mientras ese gallo estuviese vigilando sus planes no iban a resultar fáciles. Había que darle tiempo al tiempo.

—¡Cómo te va, zorro! —saludó un lobo grandote-. Acomodate por estos lados a ver si inventamos algo para sobrevivir a este aburrimiento.

—Aquí se está pudriendo todo —dijo otro lobo-. ¡Si no hacemos algo...! ¿Viste, zorro, esa cosa que nos dan de comer? ¡Y estando rodeados de liebres y conejos y gacelas! ¡Uno no es de fierro, comisario!

—¿Se te ocurre alguna idea, lobo?

—Como ocurrir, se me ocurre, pero este viejo Noé sospecha de nosotros y nos anda rondando. Ya me tiene podrido.

—A mí no se me ocurre nada —dijo el zorro—, y todo por culpa de una gallina verde que se me ha metido entre ceja y ceja. Está cada día más gordita y más provocadora, pero tiene un gallo que la cuida de día y de noche. ¿Ustedes qué idea tuvieron?

—Queremos organizar una pelea para entretenernos un poco, pero al viejo Noé no hay forma de convencerlo.

—¿Pelea? ¿Pelea de quién?

—De cualquiera. Nosotros estamos estamos dispuestos a pelear con cualquiera y a cualquier hora.

—También sería divertido hacerlos pelear al rinoceronte y al elefante.

—Ni se les ocurra -dijo el zorro—. Una pelea así haría pedazos este armatoste.

—Tengo un plan —dijo una loba—, pero nos conviene esperar hasta el anochecer, cuando no puedan ver en la oscuridad como nosotros.

Y explicó su plan a los otros lobos, a los coyotes, a los zorros, al yaguareté y a algunos bichos más.

La tarde pasó con un poco más de alegría. Ya casi todos los animales estaban acomodados en su lugar. Claro que algunos protestaban todavía, pero era más para no perder la costumbre.

En realidad el viejo Noé y su esposa y sus hijos y las esposas de sus hijos todavía no habían tenido casi tiempo de descansar. Apenas eran ocho para atender a tantos miles de pasajeros de pelaje y plumaje diferente.

Y encima algunos tan retobados que por momentos Noé tenía ganas de tirarlos por la borda.

Pero lo que más le molestaba a Noé era pensar que se podía haber equivocado.

Le habían dicho muy clarito: "Siete parejas de los animales puros y una pareja de los impuros".

Noé, entre tanta indicación de cómo construir el arca, dejó para otro día hacer las averiguaciones y pedir más datos. Pero no hubo tiempo para eso, y al final lo tuvo que resolver por su cuenta.

¿El chancho era puro?

¿Eran puras las palomas?

¿Y las víboras?

¿Y las hienas?

¿Y las hormigas?

¿Y los burros?

—No —se dijo—. Seguramente los burros no. Un animal tan bien dotado y que pegaba esos rebuznos tan fuertes y feos no podía ser un animal puro.

¿Y qué quedaba para la hiena, un bicho comedor de carroña?

¿Y los caranchos y los buitres?

¿Y los tiborantes?

Bueno, con los tiborantes no tuvo dificultades. De entrada nomás decidió ponerlos entre los impuros.

Pero fue por culpa de ellos. Se mostraban rebeldes y querían saber el porqué de cada cosa. Encima contagiaban sus ideas a los otros. Y algunas de esas ideas no sonaban mal; tal vez podrían ser ideas peligrosas.

—Mas vale dejo pasar una sola pareja. Discuten mucho, creo que deben ser impuros.

Y pasó nomás una sola pareja de tiborantes.

Ellos no entendieron por qué. Eran animalitos mansos, igualitos a un tigre, con hermosas rayas de todos los colores, pero del tamaño de un conejo blanco y chiquito.

Los tiborantes trepaban a los árboles para jugar con los monos y los pájaros y las chicharras, y sabían cantar y silbar bellísimas canciones.

Eso sí, como discutidores, eran discutidores. Noé se dio cuenta en seguida de dónde sacaban las chicharras sus argumentos. Eran ideas de los tiborantes.

Pero lo peor era que Noé estaba un poco de acuerdo. Por eso dejó pasar sólo una pareja. Si los dejaba entrar en patota le iban a armar un batifondo en el arca. Y siempre andaban con esas ideas de que hay que hacer el amor y no la guerra. Encima a cada rato las ponían en práctica.

No, eso no iba a ser un buen ejemplo para la moral de los jóvenes.

Y ahí Noé sintió que se le caían los calzoncillos. ¿De qué jóvenes? En el arca no había jóvenes, eran todos animales adultos.

—Lo que son los prejuicios -se dijo, sintiéndose un poco triste-, pero bueno, no hay que llorar sobre la leche derramada. Después de todo son muy discutidores, y lo peor es que a veces tienen razón.

Capítulo 3

Donde se trata del ojo corto de Noé, del canto de las chicharras que hace salir el sol, de cómo se cocinaban los planes de los lobos y del poder de las palabras.

En eso se oyó un grito:

—¡Eh, don Noé! ¡Es la hora de la comida!

Eran los lobos. Noé los miró con un poco de rabia. Ya le estaban dando bronca las protestas de los lobos.

—¡Pero si comieron hace apenas media hora!

—Sí, claro, ¿usted se cree que somos como las víboras o los yacarés, que comen y después se duermen para hacer la digestión?

—Somos lobos -gritó otro lobo-. No nos compare con esos animales sin patas.

—¿Sin patas? Vos y tu abuela se van a quedar sin patas cuando yo cierre la boca.

La enorme boca del yacaré, toda llena de dientes, estaba cerca de la garganta del lobo. Justo acababa de despertarse cuando lo oyó y de una corrida se le puso al lado.

El lobo se las vio fiera. Sabía lo que esas mandíbulas eran capaces de hacer con el cogote de un pobre lobo.

Perdone don yacaré -dijo tratando de mantener la dignidad—. Perdone si lo ofendí, pero estaba tan nervioso que no sabía lo que decía.

—Bueno bueno —dijo el yacaré poniendo una pata encima de la pata del lobo—, ¡pero nunca me vuelva a decir bicho sin patas ni a compararme con las víboras!

Noé intervino para terminar la cuestión:

Me parece que ya es hora de comer —dijo.

Los yacarés se olvidaron de la discusión. Si era hora de comer era hora de comer, y de estar contentos.

Todos comieron una ración más abundante que de costumbre, pero después los yacarés miraron para un lado y para el otro. La lluvia seguía con el entusiasmo más grande.

—Bueno —dijo un yacaré—, ya comí, y ahora tengo que dormir la siesta. Pero a mí me gusta dormir la siesta al sol. ¿Dónde está el sol?

Noé no sabía qué decir.

—Aquí hay algo que anda mal —se oyó una voz—, porque las chicharras cantamos y hacemos salir al sol, pero hace siete días que cantamos y el sol no aparece. Pura lluvia y pura lluvia. ¿Por qué pasa esto, don Noé? ¿Nuestro canto ya no sirve?

—No sé... —dijo Noé—, no sé qué pasa, pero el canto de ustedes siempre sirve.

—Sí, palabras, lindas palabras, pero si no somos capaces de hacer salir el sol, alguien nos hizo trampa. ¿Fue usted don Noé?

—Yo... -dijo Noé con la voz medio tembleque-, ¿ustedes estuvieron hablando con los tiborantes?

—Siempre hablamos con los tiborantes. Son nuestros amigos y los queremos porque son nuestros amigos.

—Está bien, está bien, si yo no dije nada. Miren, voy a tratar de explicarles qué es lo que pasa. Ustedes saben que cuando llueve no sale el sol, y ahora tenemos una lluvia como nunca se conoció en la tierra, y a la fuerza nos vamos a pasar un montón de días sin ver salir el sol. Pero ustedes no tienen nada que ver con esto, son órdenes superiores.

—Entonces no tiene sentido que cantemos.

—Entonces mejor nos callamos la boca.

—Pero nos vamos a poner muy tristes.

—Y seguramente si no cantamos nos vamos a sentir inútiles.

—Y si nos sentimos inútiles vamos a morir de pena.

—Y si nos morimos de pena, cuando se termine la lluvia no habrá ninguna chicharra que cante para que salga el sol.

—Y si no sale el sol va a seguir lloviendo para siempre.

—Y entonces se van a morir de pena todos los demás animales.

—O de hambre, porque aquí hay algunos que nunca tienen penas, pero esos también se van a morir.

—Porque si sigue lloviendo se va a terminar la comida del arca.

—Y si se termina la comida del arca y no hay tierra para bajar se van a comer los unos a los otros.

—Y también lo van a comer a usted, don Noé.

—Y todo eso va a ser muy triste.

—Tan triste que prefiero morir ya mismo para no verlo.

Así hablaron las catorce chicharras, y cuando terminó de hablar la última se largaron a llorar todas juntas. Lloraban con un llanto chiquito, pero con un sonido tan triste y contagioso que al mismo Noé también se le escaparon algunos puñados de lágrimas.

—Pucha —dijo Noé aclarándose la voz que casi no le salía—, si me dejan pensar un poco... alguna solución tiene que aparecer. Aguántenme un poco, aguántenme un poco...

—Sí don Noé, pero que no sea mucho, porque estamos muy pero muy tristes.

Y Noé se alejó apurado, sin saber qué hacer, porque lo que habían dicho las chicharras sonaba demasiado peligroso. Si el sol no volvía a aparecer la cosa se iba a poner fulera.

—Pico pico pico —pasaban picoteando las gallinas verdes y las gallinas azules, mientras buscaban granos de maíz por el suelo.

¿Qué podría pasar si se acababa la comida? No había duda que iban a comenzar las peleas a muerte para comerse los unos a los otros. Y ese iba a ser el fin de toda esta historia.

El viejo Noé recorría el arca de una punta a la otra tirándose de la barba. Daba grandes pasos apurados, se detenía, se volvía a tirar de la barba, caminaba despacio rascándose la cabeza, se tomaba las manos atrás, metía las manos en los bolsillos, miraba para arriba y miraba el suelo. Pero nada.

Ninguna idea le aparecía. Ni la puntita de una idea. Y necesitaba una solución urgente. ¿Con quién podría consultar? No podía preguntarle al rinoceronte ni al hipopótamo ni al elefante, a ellos no les interesaban los problemas de los bichos chiquitos. ¿Y a la tortuga? Tampoco. Iba a tardar más de un mes en contestar y aquí el horno no estaba para bollos.

¿Podría ser el loro? Menos. El loro era inteligente, pero iba a empezar a decir malas palabras a los gritos y no lo podría parar más. Al loro mejor dejarlo fuera del problema.

Y seguía sin aparecer ni la puntita de una idea.

Es que el pobre no estaba acostumbrado a tener ideas, jamás en su vida se había ocupado de eso. Estaba acostumbrado a obedecer y a portarse bien, a cumplir con sus obligaciones y a enseñar a sus hijos a obedecer y a cumplir con sus obligaciones.

Ya le estaba doliendo la cabeza de tanto querer pensar, ya le estaba entrando la desesperación porque veía que el mundo se le derrumbaba y ahora le iba a pasar a él, que había sido tan obediente, lo mismo que les había pasado a todos los hombres de la tierra que se habían ahogado junto con todos los animales del mundo.

Y entonces se le ocurrió que esto podía ser injusto. Porque no es lo mismo que se mueran ahogados todos los hombres de la tierra a que se muera ahogado el viejo y obediente Noé.

—¡Injusto! —se le escapó en voz alta, comenzando a aprender a pensar.

—¿Qué es injusto, don Noé?

—Nada, nada. Hablaba solo nomás.

—Vamos, don Noé, hace rato que lo estoy mirando —dijo el tiborante—, usted dirá lo que quiera pero se ve a la legua que está preocupado. Cuando un hombre camina y camina tirándose de la barba, cualquiera puede leer que algo anda para el lado de los tomates.

Noé lo miró al tiborante, abrió grande los ojos, y por segunda vez dio muestras de que estaba aprendiendo a pensar.

—¡Tiborante! —dijo—. ¡A vos te necesito!

Y Noé le contó todo lo que estaba pasando y todo lo que podría llegar a pasar si no encontraba una solución para el problema de las chicharras.

—¡Y nos ahogaremos todos! Porque dejar de llover, no va a dejar de llover.

—Eso viene después, don Noé. Por ahora me preocupan las chicharras.

—Es lo de menos, qué me importan a mí esos bichos que se la pasan chillando, me importa lo que va a pasar después.

—Bueno, pero a mí sí me importan chi-

charras. Son mis amigas, y si no lo fueran también me importarían. No tenga el ojo tan corto, don Noé.

—Tengo que confesar que me entró el miedo.

—Va la tercera, don Noé.

—¿Tercera qué?

—Tercera vez que intenta comenzar a pensar. Pero ese es otro cantar. Ahora deje el problema de las chicharras en mis manos y usted ocúpese de atender sus cosas. Y por hoy no piense más, no sea que se le quemen los cables por falta de costumbre.

—¿Vos tenés alguna solución? ¿Vas a salvarnos de todo este peligro? Yo tendría que pedirte disculpas por...

—Basta por hoy, don Noé, basta por hoy... Otro día conversamos. Ahora vaya, que yo me ocupo, y le aseguro que todo se va a solucionar.

Y Noé se alejó cabizbajo, más tranquilo, pero con una cosa que se le apretaba en el estómago. Por suerte para él había un montón de trabajos que lo estaban reclamando de una punta a la otra del arca.

Por aquí las cosas se iban acomodando, pero mientras tanto...

* * *

Mientras tanto, en otra sección del arca, se cocinaban los planes de los lobos.

—Tengo un plan —repitió una loba—, y ahora que se está haciendo de noche podemos comenzar a organizarlo. Se trata de una carrera...

—¿Carrera? ¡Estás loca! Si no hay espacio ni para moverse. ¡Y a quién le interesan las carreras! Lo que queremos es pelear y pelear y pelear.

—Y comer y comer y comer —dijo otro lobo-, pero no las porquerías que nos dan aquí.

—Queremos comida de lobos.

—Y de zorros, también de zorros, que me despierto de noche con unas pesadillas donde se me escapan todas las perdices y los conejos.

—A mí me pasa peor —dijo otro zorro— Me agarran unas pesadillas muy crueles. Cuando cazo una liebre y le clavo los dientes tiene el mismo sabor que esta inmundicia que nos dan aquí.

—Bueno —dijo la loba de la primera idea—, ¿me van a dejar que termine de hablar? A mí tampoco me interesan las carreras, para andar corriendo al divino botón están los caballos; lo que yo digo es otra cosa. La idea de la carrera es para tapar la idea que nos interesa.

—¿Cuál es? ¿Cuál es? —preguntaron a coro lobos y zorros.

—¡Comernos la gallina más gorda! Ese será el premio para el que gane la carrera.

—Así sí corro —dijo un lobo.

—Y yo también.

—Y yo también.

—Y yo también.

—¡Pero está prohibido comerse las gallinas! —dijo un zorro menos zorro.

—Claro —dijo otro zorro—, pero para eso están las palabras, para no decir lo que uno quiere decir.

—Ahora voy entendiendo. ¿Cómo es el plan?

—Muy simple. Decimos que vamos a hacer una carrera para entretener a los demás. Eso va a gustar, no se olviden que todos andan un poco aburridos, empezando por el viejo Noé. Y la carrera se hace, pero el que llega primero se come de un solo bocado a la gallina verde, que va estar como juez en la raya final. En el lío que arman todos los que van llegando nadie se va a dar cuenta.

—¿Y el gallo? Es más desconfiado que mula tuerta.

—Al gallo hay que ponerlo para que dé la señal de partida. Se va a poner orgulloso por ser elegido para ese trabajo.

—¿No sospechará?

—Para eso están las palabras. Hay que decirle que la fuerza de su canto es lo que hace falta para dar una señal tan importante. Ningún gallo deja de creer en una alabanza.

—¿Y después?

—Después es después. Y por supuesto que todos vamos a poner cara de no saber nada. Y un último consejo para el que gane, tiene que limpiarse la boca para que no quede ninguna señal de que se comió la gallina.

—¡Ay, se me hace agua la boca cada vez que dice la palabra gallina!

—¿Ven la magia y el poder de las palabras? Sirven para engañar, y una simple palabrita también sirve para hacer un poema.

—¡Y qué poema! ¡No hay poema más hermoso que la palabra gallina! ¡Se me ponen los pelos de punta de la emoción!

—Bueno, ya es hora de poner manos a la obra. Y no se olviden que estamos con el tiempo justo como para calentarles la cabeza antes que se haga de noche. Pero tenemos que correr cuando ya esté oscuro.

Y lobos y zorros hablaron con todos y fueron organizando cada paso detalle por detalle. Noé quedó contento con la propuesta, que le sacaba por un rato las protestas de estos bichos con más vueltas que un caracol.

Al fin llegó la hora de la carrera.

Ya estaba bastante oscuro y Noé pensó

que tal vez sería mejor dejar las cosas para mañana, pero cuando intentó decirlo se levantó tal alboroto que tuvo que quedarse en el molde y no decir nada.

El que sí andaba preocupado era el tiborante. Tan preocupado que ni siquiera tenía tiempo de hacer el amor y no la guerra. Tenía que resolver el problema de las chicharras, pero cuando vio de pasada la reunión de lobos y zorros, y algunos gestos que se les escapaban más algunas exclamaciones de alegría, comenzó a sumar dos más dos. Y sin vueltas estos dos más dos le daban cinco.

—Y cuando dos más dos dan cinco, señal de que la cosa viene torcida -se dijo el tiborante-, pero no puedo dejar esperando a las chicharras.

Y se fue para el rincón de las chicharras, juntando verdades y mentiras, inventando historias y canciones, a ver por qué lado lograba convencerlas.

Se fue, tratando de olvidarse de los lobos, pero no se los pudo sacar de la cabeza.

* * *

Las chicharras parecían más chiquitas, amontonadas en un rincón como si estuvieran muertas de frío. Daba lástima verlas, pero nadie las veía, y con el bullicio que hacían todos con la historia de la carrera no se escuchaba para nada ese llanto tan suave y tan triste que era capaz de derretir las piedras.

—Hola chicharras —saludó el tiborante—. Tengo ganas de estar con ustedes y quiero contarles una cosa que descubrí.

—Hola —dijeron las chicharras—, qué lindo que viniste a vernos, porque estamos muy tristes.

—Yo también ando triste —dijo el tiborante—. Y más triste todavía si sé que ustedes están tristes.

—¿Qué te pasa? —preguntaron las chicharras olvidándose por un momento de su tristeza.

Eso era lo que quería el tiborante. Sabía que las chicharras iban a dejar de llorar por un rato, preocupadas por él, y entonces lo iban a escuchar, y por ahí, si la mentira le salía bien, todo iba a mejorar.

Y entonces les contó que hace muchos pero muchos años, en la época en que las víboras volaban y los chanchos sabían silbar, había venido un diluvio parecido a éste. ¿Que cómo sabía él esa historia? Bueno, aquí entraba a jugar la famosa memoria de los tiborantes.

—Claro que sí —dijeron las chicharras que ahora comenzaban a acomodarse para escuchar mejor el cuento—, todas conocemos la famosa memoria de los tiborantes.

Capítulo 4

De cuando vino el viejo diluvio, tan verdadero o tan falso como el nuevo, y las ventajas de una linda mentira de un amigo.

En realidad esa famosa memoria no era tan larga ni tan famosa, pero las chicharras lo querían a más no poder a su amigo. Tantas tardes habían pasado juntos cantando y escuchando los cuentos del tiborante que estaban convencidas de su sabiduría.

Y él les contó que en esa época del viejo diluvio pasaron cosas parecidas a las que ahora estaban pasando. Las chicharras se habían puesto muy tristes, preocupadas porque no podían hacer salir al sol con su canto, y preocupadas porque la mano venía fulera para todos los bichos.

—Pero por lo visto no se ahogaron, por eso todavía estamos aquí -dijo una chicharra a la que comenzaba a volverle la voz.

—Claro que no, por eso estamos aquí.

—¿Y qué pasó en ese diluvio? Porque si pasó una vez puede pasar dos veces.

—Pasó que las chicharras se equivocaron. Ya estaban aflojando sintiéndose perdidas y que el tiempo se acababa para todos los animales cuando a un tiborante se le ocurrió una idea.

—¿Qué idea se le ocurrió? -preguntaron todas juntas.

—Que no era posible que no saliera el sol si las chicharras habían cantado, porque eso no podía fallar. Lo que pasaba era otra cosa.

—¿Qué cosa, qué cosa? -preguntaron con la voz llena de esperanzas.

—Que el sol sí salía, pero por abajo estaba esta semejante lluvia y no lo dejaba ver. Pero por arriba el sol salía todas las mañanas.

Casi todas las chicharras respiraron aliviadas, y el tiborante también. Pero como nunca falta un desconfiado, una chicharra preguntó:

—¿Y cómo supieron que eso era cierto?

El tiborante tragó saliva.

Bueno, esa es otra historia, si quieren que les cuente...

Y seguía hablando para ganar tiempo y poder inventar la otra historia.

—Sí sí, queremos esa otra historia.

—Bueno, resulta que los animales daban vueltas y daban vueltas tratando de inventar qué hacer...

—¿Y qué hicieron?

—Dieron vueltas y más vueltas, porque no se les ocurría ninguna solución...

—¿Y al final la encontraron?

—Y sí, la encontré, digo, la encontró un tiborante.

—¿Qué hicieron, tiborante? ¿Qué hicieron?

—Una escalera. Una escalera grandota. Se paró primero el elefante, arriba del elefante el hipopótamo, arriba del hipopótamo el rinoceronte, después el búfalo, después el tapir, arriba el caballo, después el burro, después la jirafa, arriba el león, arriba el jaguar, después el jabalí, arriba el carpincho, después el lobo, arriba el ciervo, después la gacela, después el coatí, y el mono y el tatú, y el quirquincho, y mil animales más. Y arriba de todos un tiborante.

—¿Y pudo llegar más alto que la lluvia?

—No.

—¡Pero entonces se murieron todos!—dijo una chicharra.

—Tampoco.

—¡Ay, qué historia más triste! —dijo otra.

—No tanto —dijo el tiborante.

—¿Pero entonces, qué pasó?

—Parado en dos patas, el tiborante se estiraba y se estiraba, y sentía que ya estaba casi justo donde comenzaba la lluvia, pero le faltaba todavía un poquito.

—¡Qué lástima! —dijeron las chicharras con un nudo en la garganta.

—Sí, qué lástima, porque ya estaba listo para ver el sol, pero le faltaba ese poquito que resuelve los problemas. Y sin ese poquito todo era igual a nada.

—Pero podría subir otro bicho más...

—Eso pensó el tiborante, pero se dio cuenta que ya el peso era demasiado y que los de abajo no aguantarían otro bicho. Además tendría que ser uno que trepara desde

el piso, y ese piso quedaba tan lejos como ustedes no se imaginan, y ya no se podía esperar mucho.

—¿Y qué hicieron?

—Ya va, ya va, que entonces empezó lo peor...

—¿Qué puede ser peor?

—Que la escalera comenzó a bambolearse porque al elefante le estaba picando la panza.

—¡Ay, qué suspenso que me hace temblar toda! -dijo una chicharra.

—Ya el tiborante estaba a punto de rendirse cuando escuchó una voz junto a su oreja. Era la pulga, que se había dormido en la oreja del tiborante y justo ahí se despertó y se dio cuenta de lo que estaba pasando. Y entonces le dijo: "Quedate quieto, tiborante, y dejá todo en mis patas. Nadie salta más que yo. Vos solamente quedate quieto".

—¿Qué hizo el tiborante?

—Qué iba a hacer. Respiró hondo y se

quedó quieto quieto. La pulga trepó lo más alto posible, y se concentró para dar el mejor salto de su vida. Y saltó. Saltó como nunca, sabiendo que de ese salto dependía la vida de todos. Y de repente se escuchó un grito de alegría que casi hace que la escalera de animales se vaya al mismísimo fondo del mar.

—¡El sol! ¡Aquí está el sol! —gritó la pulga, que había hecho un agujerito en medio de la lluvia.

Y en ese instante, por el agujerito de la pulga, pasó un rayo de sol, finito, finito, y fue justo justo a parar al lado del rincón de las chicharras.

Todos los animales lo vieron y saltaron de alegría.

Y ahí sí que la escalera estuvo a punto de irse donde el diablo perdió el poncho.

Pero no cayeron. Y la pulga bajó y la lluvia tapó el agujerito y la escalera se fue desarmando pasito a paso hasta que todos pisaron firme. Y si no me falla la famosa memoria de los tiborantes, ahí fue donde comenzó esta larga amistad entre los tiborantes y las chicharras. Y el cuento se terminó.

—¡Qué hermoso cuento! ¡Es el cuento más hermoso del mundo! -dijo una chicharra.

Las otras chicharras no dijeron nada. Simplemente comenzaron a cantar y a cantar y a cantar.

El tiborante respiró hondo. Había cumplido su misión y estaba contento. Pero sobre el pucho se acordó de que dos más dos son cinco. Se acordó de los lobos.

* * *

Ahí fue cuando los vivas y los gritos hicieron temblar el arca. La carrera había terminado y todos festejaban contentos porque durante un rato se habían olvidado del encierro y de la lluvia.

—¡Mañana tenemos que organizar otra!

—¡Y otra y otra!

—¡Así no nos aburrimos!

—¡Vivan los lobos!

—¡Y los zorros!

No había dudas. La fiesta había sido un éxito. Pero el tiborante seguía sospechando. Se acercó y preguntó, y todos juntos le contaron y explicaron que se había hecho una pista para correr poniendo uno al lado del otro a los elefantes, los rinocerontes, los hipopótamos, los búfalos, los tapires, los caballos, las jirafas, los toros, y otro montón de animales grandotes...

—Pero a nosotros no nos pusieron —protestaron los sapos—, y también queríamos colaborar.

... y por el lomo de los animales grandotes corrieron los lobos y los zorros en una hermosa carrera. Y el gallo había lanzado un potente quiquiriquí y todos habían corrido con tanto entusiasmo...

—Y nosotros también ofrecimos nuestro lomo para hacer la pista -dijeron los sapos.

... y al final un lobo fue el ganador y todos los otros corredores lo rodearon y lo felicitaron. Fue una fiesta hermosa. Fue la fiesta más hermosa del mundo. Tenemos que hacer más fiestas como ésta.

El gallo, orgulloso de su participación, seguía quiquiriqueando. También a él todos lo felicitaban, y él se ofrecía para seguir dando las partidas todas las veces que hiciera falta.

—Sí sí —decía—, estas cosas las organizamos con mis amigos los lobos para el bien de todos ustedes. Nosotros creemos en la solidaridad.

Como ya era hora de dormir, cada uno se fue para su lado pensando en que mañana podrían seguir divirtiéndose. De la gallina verde ninguno se acordó.

En la oscuridad nadie vio que un lobo se acercaba a la borda para escupir una pluma que se le había quedado entre los dientes.

La pluma de hermosos tonos verdes quedó flotando en el agua. Lentamente, como quién se despide, se fue perdiendo en la distancia.

Capítulo 5

De cuando el miedo no es sonso y de cuando conviene leer las cosas mirándolas del otro lado.

Noé andaba un poco preocupado. Veía que las provisiones bajaban y bajaban y las aguas subían y subían. La montaña más alta ya hacía mucho que había desaparecido, y el arca seguía navegando a la deriva. Y ninguna señal de que las cosas pudiesen cambiar.

Para peor, algunos bichos comenzaban a impacientarse, y Noé no sabía cuándo podrían volverse peligrosos. Aunque a los ponchazos, las cosas habían marchado, un poco por el miedo de los animales a ese mar tan enorme y profundo. Pero ahora, porque estaban acostumbrados al agua o porque ya les daba lo mismo cualquier cosa, se habían

puesto a protestar, y a cualquier hora se escuchaban rugidos y los colmillos asomaban al menor comentario.

Lo único que parecía calmarlos era el momento de las carreras. Pero también de eso se estaban cansando. Ahora exigían peleas. Y lo grave no era que solamente quisieran ver una pelea. No, se ofrecían para pelear. Todos querían pelear.

—Hagamos una pelea entre los bichos grandes —gritaba el sapo—. Son más divertidas. Yo le peleo al elefante.

Noé pensó que si les daba menos comida tendrían menos energía. Pero apenas mermó una cucharada se levantó un batifondo de la san perinola.

Y la lluvia que no paraba.

Noé se paseaba por toda el arca, vigilando, pero sólo veía caras que ya no disimulaban la bronca.

—Lo veo preocupado, don Noé —le dijo

el tiborante—. Yo también ando preocupado.

—¿Vos también, tiborante? ¿Por qué estás preocupado?

—Veo cosas raras, don Noé. Todos protestan, pero los lobos no.

—Vos siempre ves cosas raras. Qué mejor que los lobos no protesten. ¡Lo único que me faltaba, que protestés porque los lobos no protestan!

—Es otra cosa, don Noé. ¿A usted no le suena sospechoso?

—Mirá, yo sospecho de lo que pasa, no de lo que no pasa. Vos pensás demasiado, tiborante.

—Y usted tiene el ojo corto, don Noé. A veces hay que leer las cosas al revés. Pero usted es el que manda.

Y el tiborante la buscó a la tiboranta se fueron para el rincón de las chicharras.

Las chicharras los recibieron con el mejor de los cantos, contentas de la visita.

—¿Sabés qué nos gustaría? —dijo

una—, que nos contés otra vez el cuento de la escalera de los animales.

—¡Ya se los conté siete veces!

—¡Pero nos gusta tanto! Es el cuento más hermoso del mundo, y nos hace poner contentas a todas.

Y el tiborante volvió a contar el cuento del viejo diluvio, que era el mismo pero era diferente, porque entre tanto contar y contar le había ido agregando detalles y personajes y ajustando las palabras y haciéndolo cada vez mejor.

Esta vez le salió como nunca.

Y por un rato se olvidó de todo lo que lo que tenía preocupado. Se olvidó de los lobos, de la lluvia, de la mala comida, y hasta se olvidó un poco de su tristeza por todos los otros tiborantes que no pudieron subir al arca.

En ese momento se oyó un enorme quiquiriquí que seguramente daba la partida de otra carrera. Y entonces el tiborante pegó un salto.

—¡La carrera! -gritó.

—Seguro —dijeron las chicharras—, qué tiene de raro. ¿Querés ir a verla?

—No, no. Digo sí, quiero decir que ahí está el secreto.

—¿Qué secreto?

—El secreto de los lobos. Con razón me parecía ver cada vez menos gallinas.

—Pero tiborante, con este lío de bichos que andan recorriendo el arca de una punta a la otra, cómo querés ver a las gallinas.

—Yo me entiendo, después les cuento.

Y salió corriendo para el lado de la carrera.

Llegó para escuchar los gritos de fiesta y alegría, pero acercarse hasta el final de la meta, donde estaba el ganador, era imposible. Una masa de bichos que se amontonaba en la punta de la pista no dejaba pasar ni a una mosca.

Y el tiborante se alejó pensando que la única manera de sacarse las dudas era ofrecerse como juez para una carrera.

* * *

Los días habían pasado y pasado. Veintisiete días, según las cuentas que Noé iba llevando, haciendo rayitas en una pared del arca. Y fue ese día número veintisiete cuando el arca comenzó a temblar y a moverse para todos lados.

Los animales se quedaron mudos del susto, porque parecía que las paredes se resquebrajaban y todo el armatoste se bamboleaba de un lado para el otro y los bichos rodaban por el piso chocando unos con otros.

—¡Nos hundimos! ¡Nos hundimos! —gritó la liebre.

—¡Nos vamos al fondo del mar! —gritó la vizcacha.

—¡Ya estamos todos muertos! —gritó una corzuela.

—¡Este es el fin del mundo! —gritó el tapir.

Noé corría de aquí para allá, a los tropezones, tratando de calmar los ánimos, hasta que llegó adonde estaban los elefantes y los rinocerontes.

—¡Basta! —dijo con voz de trueno—. ¡Se me quedan quietitos y sin pestañear!

Los elefantes y los rinocerontes lo miraron sorprendidos, pero se quedaron quietos. El arca comenzó a enderezarse y dejó de moverse.

—¿Qué pasa, don Noé? ¿Por qué nos grita tan enojado?

—¿No se dan cuenta de lo que están haciendo?

—La cosa más inocente del mundo —dijo una elefanta—. Nos estamos rascando el lomo.

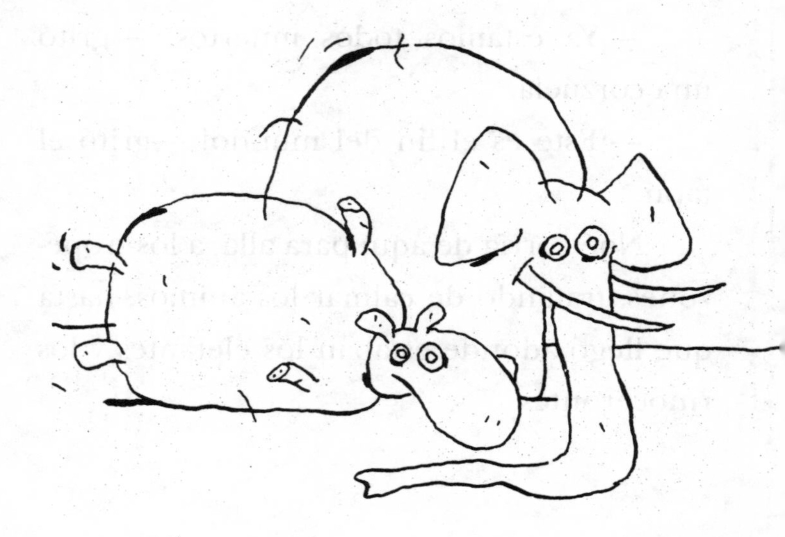

—Sí, don Noé —dijo el rinoceronte—, nos ponemos patas arriba y damos vueltas para un lado y para el otro.

—¡Basta de tirarse al suelo y dar vueltas! —dijo Noé a los gritos—. ¡Un poco más y el arca se va al fondo del mar!

—Ya me parecía que se estaba moviendo mucho —dijo la elefanta—. Pero no es para enojarse.

—¿Y qué podemos hacer? —dijo el hipopótamo?

—¡No sé! —gritó Noé tirándose de la

barba—. Pero se me quedan todos quietitos y sin mover un pelo.

—¡Bah!-protestó el hipopótamo.

La mirada de Noé, que por poco no echaba chispas, hizo que los hipopótamos se quedaran callados. Se quedaron callados, pero no se quedaron contentos.

Y la lluvia que no paraba.

Con protestas y penas los días seguían pasando. Treinta y tres, treinta y cuatro, treinta y cinco, anotaba Noé en la pared, ya desesperado. Los colmillos se veían cada vez más grandes y la comida apenas alcanzaba para unos pocos días.

Treinta y seis, treinta y siete, treinta y ocho...

* * *

Los lobos, además de ser peligrosos, no eran tontos.

Alguno ya había notado que el tiborante los miraba demasiado. Y los lobos sabían que la mirada nunca es inocente. Y que, por las dudas, convenía tenerlo entre ojos. Y si se prestaba la ocasión, entre los dientes.

—Nunca comí un tiborante —dijo un lobo saboreándose—, y me gustaría salir de la duda.

—Yo tampoco —dijo otro—, son demasiado ligeros y apenas sospechan algo se suben a los árboles.

—A mí siempre se me escaparon, pero a éste me parece que no lo salva nadie.

—En cuanto se nos presente la ocasión... —dijo otro.

Y la ocasión se les presentó como si los estuviera escuchando. El tiborante vino a hablar con ellos.

—Hasta ahora no pude ver ninguna carrera —dijo—, porque siempre me tapan los animales más grandes. Creo que la única forma de ver bien es estar en la raya final. ¿No quieren que yo haga de juez?

Los ojos de los lobos echaron chispas de alegría. Ni en sueños se hubieran imaginado una situación mejor.

—Claro que sí, tiborante, nos encantaría.

—Y yo voy a correr más rápido que nunca, porque a esta carrera la quiero ganar —dijo un lobo, relamiéndose.

—Difícil, porque esta vez yo me rompo todo.

—Creo que va a ser la carrera del año. Y este lobo va a ser el que se coma, digo el que se lleve el premio.

—¿Entonces mañana yo seré el juez de raya?

—Claro, tiborante, y creeme, lo digo con el corazón en la mano, eso nos va a dar un gran placer. Y ahora todo el mundo a descansar, que tenemos que organizar la mejor de todas las fiestas.

—Vos también dormí y comé bien, que mañana tenés que estar descansado y gordito.

Ésa fue una noche de dulces sueños para los lobos.

Y de largas pesadillas para el tiborante.

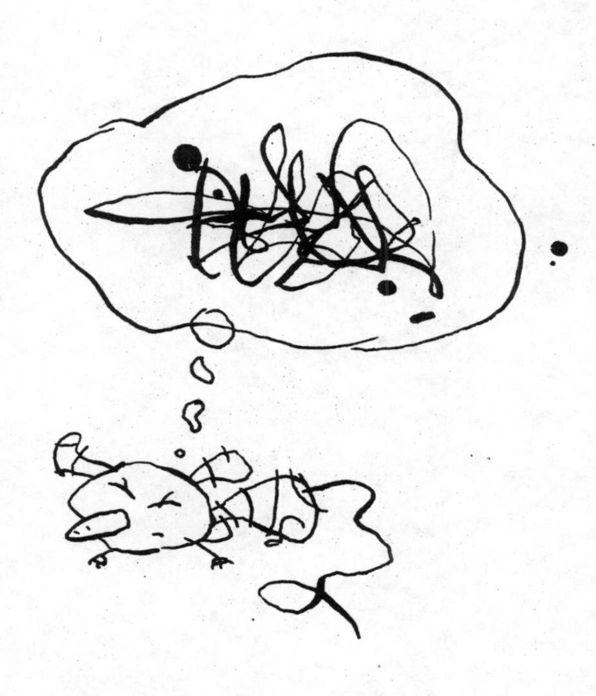

Capítulo 6

De cómo los sueños pueden hacerse realidad, los peligros de andar jugando con lobos, y que no hay mal que dure cien años.

Los lobos soñaron con grandes praderas pobladas de tiborantes.

Soñaron con estepas cubiertas de nieve donde brillaban las rayas de colores de miles de tiborantes. Soñaron con bosques y montañas, con desiertos y llanuras, siempre llenos de tiborantes.

Y en las praderas o en la nieve, en el desierto o la montaña, una enorme rueda de lobos los iba rodeando cada vez más y más cerca.

Y ningún sueño podía ser más dulce para un lobo.

El tiborante también soñaba. Pero no eran buenos sueños. Para cualquier lado que miraba estaban los colmillos de los lobos, y escuchaba los largos aullidos de la manada. Y él estaba solo en el mundo y lo rodeaban miles y miles de lobos que no le dejaban lugar para escapar. Y apretaba los ojos y se tapaba los oídos, pero los dientes y los aullidos lo perseguían sin darle descanso.

No, no eran buenos los sueños del tiborante.

* * *

Y la lluvia que no paraba.

—No perdamos tiempo —dijo una loba—, que pasé la noche saboreando tiborantes en sueños. Ahora quiero uno de verdad.

—Yo gané dos carreras y probé una gallina verde y una azul, pero eso me hizo dar más ganas todavía. Se ve que un buen lobo nunca queda conforme.

Y los preparativos comenzaron. Como a esta altura ya todos eran expertos en el armado de la pista, los elefantes y rinocerontes y los hipopótamos y los otros animales se fueron acomodando ordenadamente.

Del gallo, que seguía con todo orgullo haciendo la largada de la carrera, sólo queda suponer que era bastante estúpido. Ya no quedaba ninguna gallina verde ni azul, pero él seguía entusiasmado recibiendo las alabanzas de su canto.

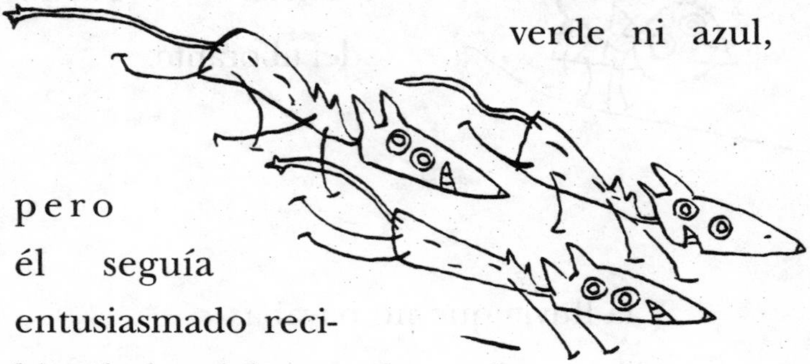

El tiborante se acomodó como para hacer de juez y señalar al ganador, pero antes miró bien para todos lados tratando de descubrir un lugar de escape.

Los lobos y los zorros, las hienas y los jaguares, los pumas y las panteras, se prepararon. Les costó acomodarse, porque esta vez estaban dispuestos a hacer todas las trampas posibles para ganar el premio.

Y la carrera se largó.

De repente en el arca hubo un silencio

como si en el mundo se hubieran acabado los ruidos. Las suaves patas de los corredores apenas si se asentaban en la pista. Eran flechas que atravesaban el aire y que llegaron al final antes de que el gallo terminara su canto. Y sonó el griterío mientras todos se arre-

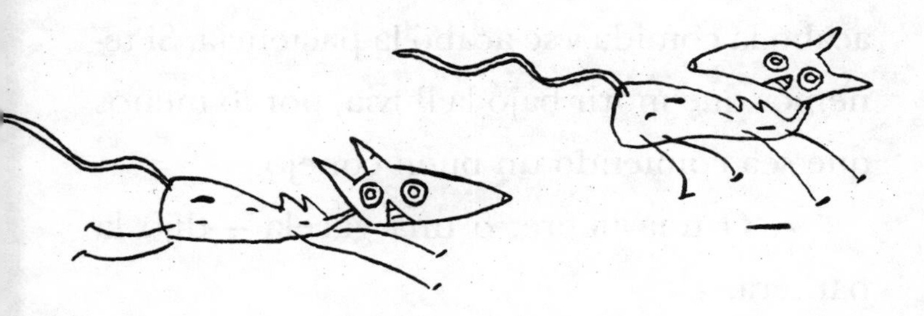

molinaban dando muestras de alegría.

El lío se hizo enorme, y volaron pelos y plumas, pero de puro contentos. Después se fueron dispersando y cada uno volvió para su lugar.

—Puras carreras, puras carreras —protestó un yacaré—. Deben estar locos para andar corriendo carreras. Yo prefiero pelear.

—Siempre pensando en lo mismo —dijo una yacaré—, también hay que pensar en comer.

* * *

—Treinta y nueve —dijo Noé en voz alta mientras hacía otra rayita en la pared y comenzaba a desesperar.

De repente se vio rodeado de tigres y leones y panteras.

—Esto no va más —dijo el tigre—, se acabó la comida y se acabó la paciencia. Si tenemos que morir bajo la lluvia, por lo menos que sea comiendo un buen conejo.

—O una liebre, o una gacela —dijo la pantera.

—Todavía no —dijo Noé-, todavía queda un poco de comida...

—Un día más —dijo el león—, es todo lo que podemos esperar.

—Treinta y nueve, treinta y nueve, treinta y nueve —dijo Noé hablando solo y mirando el cielo.

Repartió el último resto de comida y sintió que las lágrimas se mezclaban con la lluvia.

—¡Pero tengo que seguir! —se dijo.

Y esa fue una noche de rugidos imparables. Fue la noche más larga y la noche más triste.

Capítulo 7

De cómo el mundo puede olvidarse de lo que le conviene olvidarse cuando no se tiene a quién echarle la culpa.

—¡Se acabó! ¡Se acabó la lluvia! ¡Se acabó la lluvia y salió el sol!

El sol era un enorme disco lleno de alegría y los pájaros volaron enloquecidos sobre el arca.

Y las aguas comenzaron a bajar.

Primero aparecieron las puntas de las montañas y los pájaros iban y volvían y contaban que la tierra se estaba secando y que todo comenzaba a vivir de nuevo.

Las águilas no volvieron. Para qué iban a volver, si les gustaba vivir en la punta de las montañas. Allí se quedaron.

Y las aguas seguían bajando.

El yacaré no esperó más y se zambulló seguido de todos los otros yacarés. Lo siguieron los hipopótamos, las nutrias, los carpinchos.

Y aparecieron los árboles más altos y los pájaros volaron y se posaron en las ramas.

Y el sol seguía calentando y fueron apareciendo pedazos de tierra cada vez más grandes hasta que el arca dejó de flotar.

Todos los animales bajaron a la carrera. O casi todos. Porque nunca más se oyó hablar de las gallinas verdes ni de las gallinas

azules, pero en el alboroto con que se atropellaban quién se iba a dar cuenta de quienes bajaban y quienes no bajaban.

Las chicharras volaron hacia un algarrobo y se pusieron a cantar a más no poder, mientras esperaban que llegaran los tiborantes. Llegó la tiboranta sola, y se quedó con ellas, esperando.

—No te preocupés, tiboranta -dijo una chicharra, ya va a llegar. Seguro que anda por ahí resolviendo algún problema.

—Es que hace mucho que no lo veo.

—Nosotras tampoco, y queremos que nos cuente otra vez, ahora que se nos pasó el susto, la historia del viejo diluvio.

—Yo creo —dijo una chicharra— que ahora me va a parecer otro cuento. Y todavía más hermoso.

—¡Pero el cuento va a ser el mismo! —dijo la tiboranta.

—El cuento sí, pero nosotras ya no somos las mismas.

* * *

Los animales siguieron saliendo. Salieron las panteras y los quirquinchos, los jabalíes y las lagartijas, las jirafas y los camellos, y las pulgas y los piojos y los bichos colorados. Los últimos fueron los sapos.

—Estuvimos controlando —dijo un sapo—. Es conveniente que los grandes nos ocupemos de los chicos. Se estaba armando demasiado alboroto y el elefante casi la pisa a la iguana. Pero por suerte pusimos orden. Ya no queda nadie.

—¿Cómo nadie? —dijo la tiboranta—. El tiborante todavía no bajó.

—Pero nosotros revisamos de una punta a la otra. Salimos detrás de la última pulga.

—No puede ser. Voy a preguntarle a don Noé.

—Bah —dijo el sapo—. Ese sabe menos que yo. Y además quedó de cama el pobre.

—Pero el tiborante no bajó —insistió la tiboranta.

—Esperen aquí -dijeron las chicharras—. Nosotras vamos a revisar de nuevo.

Y volaron al arca. Fueron rincón por rincón. Por arriba y por abajo. Recorrieron cada recoveco de los tres pisos del arca. Pero nada. Ninguna señal del tiborante.

Volvieron tristes. No sabían qué decir ni cómo explicar lo que no podían explicar.

Suaves lágrimas calladas corrían por la cara de la tiboranta.

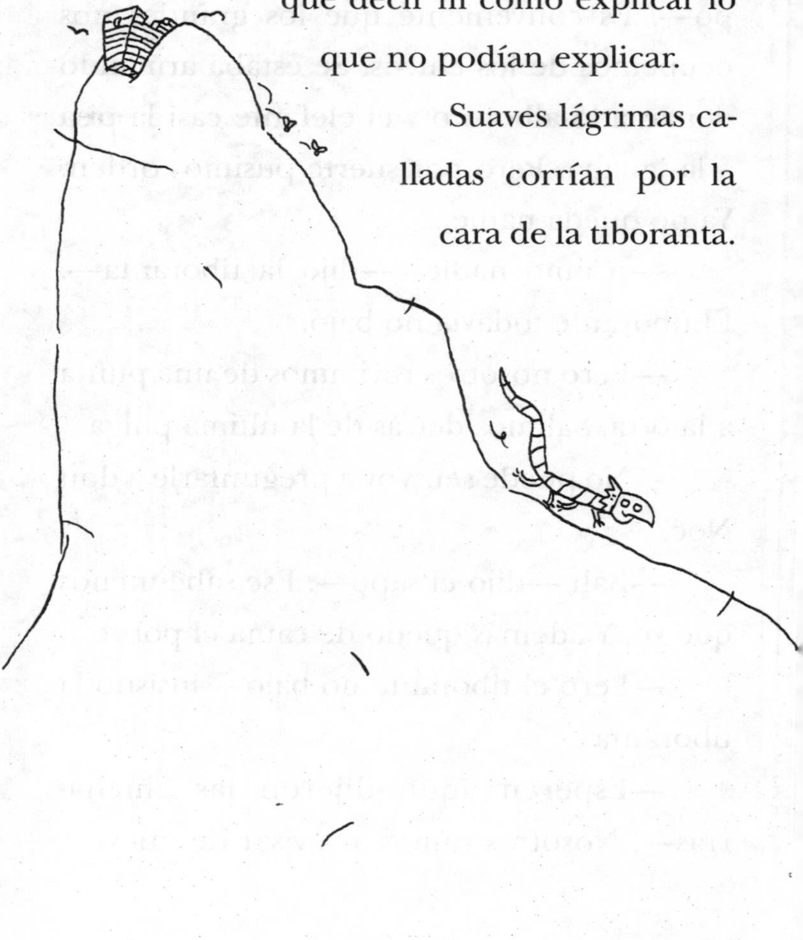

—Estoy sola en el mundo -dijo, y no pudo seguir hablando. Y sus hermosas rayas de colores parecían apagadas.

Las chicharras comenzaron a cantar de nuevo, un poco para acompañarla y otro poco para que nunca volviera esa lluvia y el sol brillara para siempre.

Lo que es a mí, no me agarra de nuevo -dijo el camello mientras se alejaba, y se fue para el medio del desierto.

—Yo no creo que vuelva otro diluvio —dijo un cóndor—, pero por las dudas me voy a vivir a la punta de una montaña.

Y algunos se fueron por aquí, otros se

fueron por allá y los demás por el otro lado.

Y el sol siguió saliendo todos los días gracias al canto de las chicharras.

Los animales emigraron, se reprodujeron, se olvidaron de esta historia. Pero el mundo nunca jamás volvió a ver un tiborante.